Le Fauteuil Magique

d'après **Enid Blyton**

L'Île aux Surprises

Cet ouvrage a initialement paru en langue anglaise sous le titre :
The New Adventures of the Wishing-Chair: The Island of Surprises,
2009, Enid Blyton.
© Hodder and Stoughton Ltd, 2012. Tous droits réservés.

© Hachette Livre 2012 pour la présente édition.

Traduit par Véronique Merland.

Conception graphique : Lorette Mayon.
Colorisation : Sandra Violeau.

Hachette Livre, 43, quai de Grenelle, 75015 Paris.

Le Fauteuil Magique

d'après **Enid Blyton**

L'Île aux Surprises

hachette JEUNESSE

Les personnages

Paul a 7 ans et, comme tous les enfants, il est très, très curieux. Partir en voyage dans un pays totalement inconnu ? Il n'hésite pas !

Julie est l'aînée : elle garde un œil sur son frère Paul et sur Fribolin, et elle a toujours de bonnes idées ! Cette aventurière ne reste pas en place... C'est parti !

Fribolin

Haut comme trois pommes, avec de longues oreilles pointues... Fribolin est bien un lutin !
Son secret ?
Il connaît le fauteuil magique par cœur...

Tim le magicien est imprévisible. Il adore surgir là où on ne l'attend pas !

Tim

L'Enchanteur

Dans son grand château, l'Enchanteur fabrique des milliers de jouets fantastiques...

Prologue

Fribolin le lutin pousse un soupir
en regardant par la fenêtre.
Il n'a personne à qui parler
et il se sent très seul. Dehors,
dans le jardin, il voit deux enfants. Le
lutin a envie d'aller leur dire bonjour,
mais il ne peut pas...
« Si seulement j'avais écouté
l'Enchanteur, se dit tristement Fribolin,
je ne serais pas prisonnier dans
cette cabane, au fond du jardin... »

1. Une drôle de cachette

— Je m'ennuie, dit Julie, assise sur le banc du jardin.

— Et moi, je m'ennuie plus que personne ne s'est jamais ennuyé ! répond Paul, son petit frère.

Il donne un coup de pied dans un caillou.

— Je voudrais qu'on ne soit jamais venus habiter ici.

Paul et Julie viennent de quitter la ville pour emménager près de la mer car leur père y a trouvé un nouveau travail.

— D'ailleurs, ce village s'appelle Nulpar… Et on peut dire qu'on est vraiment au milieu de nulle part ! soupire Julie.

— Hé, si on allait voir ce qu'il y a dans la vieille cabane au fond du jardin ?

— Le premier arrivé a gagné ! lance Julie en se levant d'un bond.

— C'est parti ! répond Paul.

8

Paul arrive le premier à la cabane et soulève le loquet rouillé. La porte s'ouvre dans un grincement.

— Personne n'a dû entrer ici depuis des années, devine le garçon en regardant les toiles d'araignées qui recouvrent le plafond, les boîtes poussiéreuses et les pots de peinture empilés sur le sol.

Julie inspecte l'intérieur sombre de la cabane, pendant que son frère ouvre les boîtes pour regarder ce qu'il y a dedans. Ici, la seule chose intéressante est un grand fauteuil à bascule en bois, à côté de la fenêtre. Elle s'en approche et ouvre de grands yeux en découvrant une marque dorée sur le dossier du fauteuil. Du bout du doigt, elle la frotte, et la trace s'élargit de plus en plus. Enfin, l'image d'une licorne blanche comme la neige, avec une corne étincelante, apparaît.

— Waouh ! s'exclame Julie, tout en remarquant sous l'épaisse couche de poussière d'autres images peintes sur le fauteuil. Paul, viens voir ça !

Son frère la rejoint, et Julie frotte un autre endroit, révélant cette fois un dragon vert émeraude.

— C'est génial ! s'écrie Paul. Il faut nettoyer le fauteuil tout entier, comme ça, on pourra voir les autres images.

Ils trouvent deux vieux chiffons et astiquent le fauteuil. Paul découvre une créature étonnante. On dirait un petit garçon, mais avec de très longs doigts et des oreilles pointues. Il porte une veste rouge vif, un pantalon bleu et un drôle de chapeau vert. Paul frotte l'image de toutes ses forces pour pouvoir mieux voir son visage.

Soudain, l'image éternue :

— *Atchoum !* Arrêtez, ça chatouille ! ordonne la peinture en regardant les enfants.

Paul sursaute et reste bouche bée devant la créature qui se décolle lentement du fauteuil.

Paul et Julie, stupéfaits, regardent l'étrange petit homme se détacher complètement de la surface en bois, puis s'épousseter.

— Ah, voilà qui est mieux ! Je suis Fribolin le lutin, annonce-t-il, et je suis ravi de vous rencontrer !

2. Magie et sortilèges

— Lu… lutin ? bredouille Paul.

Il regarde Julie qui ouvre de grands yeux étonnés.

Fribolin hoche la tête.

—Je suis resté prisonnier dans le fauteuil très longtemps. Mais

vous m'avez libéré en me nettoyant. Merci beaucoup !

— De rien, balbutie Julie.

Le petit lutin leur adresse un
large sourire.

— Comment vous appelez-vous ?

— Je m'appelle Julie et j'ai huit ans, répond la fillette. Et voici mon frère Paul, qui a sept ans. Et toi, Fribolin, quel âge as-tu ?

— Oh, je ne sais pas très bien… dit Fribolin en fronçant le nez. Mais pas plus de cent ans !

Paul n'en croit pas ses oreilles.

— Comment as-tu été emprisonné dans le fauteuil ?

— En fait, c'est un fauteuil magique, déclare Fribolin.

— Un fauteuil magique ? répètent les enfants, stupéfaits.

— Oui, explique Fribolin. Quand on s'y balance trois fois et qu'on fait un vœu, il nous emmène dans un pays enchanté ou dans n'importe quel endroit du monde. Moi, je viens de l'Île aux Surprises.

— Mais comment es-tu arrivé ici ? demande Julie.

— Regardez, répond Fribolin. Le fauteuil magique peut faire réapparaître les images de toutes ses aventures. Il suffit de le lui demander gentiment.

Il pose sa main sur l'accoudoir.

— S'il te plaît, montre-nous comment j'ai quitté l'Île aux Surprises !

Au grand étonnement de Paul et de Julie, les images peintes sur le dossier du fauteuil se mélangent pour former une nouvelle image.

— C'est comme une télévision ! s'émerveille Paul.

Une immense pièce remplie de jouets apparaît.

— Ces jouets sont tous à toi, Fribolin ? demande Julie, impressionnée.

— Non, ils sont fabriqués par l'Enchanteur, répond le lutin. C'est son château : avant, je travaillais là-bas pour lui.

Un homme à la longue barbe blanche, vêtu d'un manteau bleu, entre dans l'image. Fribolin marche à ses côtés. Ils avancent vers un fauteuil qui semble familier.

— C'est le fauteuil magique ! s'exclame Julie. Mais il a l'air tout neuf.

— Il était en mauvais état quand l'Enchanteur l'a trouvé, explique Fribolin. Autrefois, le fauteuil avait des ailes, mais trois d'entre elles étaient cassées. Pour le garder, il l'a transformé en fauteuil à bascule.

— Écoutez, chuchote Paul. L'Enchanteur parle !

— Fribolin, il faudra faire très attention en nettoyant le fauteuil, prévient l'Enchanteur en le plaçant avec précaution sur des cales en bois. Je viens de lui donner une nouvelle dose de magie et il faudra un peu de temps pour qu'il fonctionne normalement. Pour le moment, il ne faut pas s'asseoir dessus.

— Promis ! répond le lutin.

L'Enchanteur sourit et sort de la pièce.

Fribolin prend un chiffon et astique le bois. Mais au bout de quelques minutes, il bâille et se frotte les yeux de fatigue. Déjà à moitié endormi, il grimpe dans le fauteuil pour se reposer.

Paul et Julie le regardent, déconcertés. Le fauteuil tombe de ses cales et se met à basculer d'avant en arrière.

— Oh… non… Stop! balbutie le lutin en essayant de redescendre. Je ne… je ne veux aller nulle part! Je t'en prie, ne… emmène-moi nulle part!

Mais au troisième balancement, dans un éclair de lumière

bleue, Fribolin et le fauteuil disparaissent.

— Ensuite, je suis resté prisonnier du fauteuil, murmure le lutin,
tandis que les images peintes se
reforment sur le bois. Sa magie a
eu un drôle d'effet : elle nous a
soudés l'un à l'autre !

— Mais comment t'es-tu
retrouvé dans notre cabane ?
demande Paul en fronçant les
sourcils.

— Tu n'as pas compris ? intervient Julie. Notre village s'appelle
Nulpar et Fribolin a dit au fauteuil : « Emmène-moi nulle part ! »

— Oh ! s'écrie Fribolin en

ouvrant de grands yeux. C'est pour ça que je suis arrivé ici !

— Mais maintenant tu es libre, sourit Paul. Tu peux faire le vœu de rentrer chez toi, sur l'Île aux Surprises.

Fribolin secoue tristement la tête.

— Je ne crois pas être assez grand pour balancer le fauteuil moi-même.

— On va t'aider, propose Julie.

— On serait ravis de voir l'Île aux Surprises, ajoute Paul.

— Vraiment ? se réjouit le petit lutin. Alors tous à bord du fauteuil magique !

Paul, Julie et Fribolin s'installent sur le grand fauteuil en bois et commencent à le faire basculer de toutes leurs forces.

— Un ! entonne Julie.

— Deux ! poursuit le lutin.

Paul se penche et voit des étincelles bleues jaillir autour des pieds du fauteuil.

— Emmène-nous sur l'Île aux Surprises ! s'écrie-t-il.

— Trois !

3. Une délicieuse plage

Paul et Julie dégringolent du fauteuil magique et atterrissent sur du sable aux côtés de Fribolin. Ils se relèvent, encore tout étourdis.

— Me voilà chez moi ! déclare Fribolin en regardant autour de lui. Bienvenue sur l'Île aux Surprises !

Paul et Julie observent l'endroit. Ils se trouvent sur une plage, mais elle n'a rien à voir avec la plage de Nulpar. Le sable scintille comme de la neige, la mer est d'un violet profond, et les palmiers ont des feuilles multicolores.

— Je comprends pourquoi ça s'appelle l'Île aux Surprises ! s'exclame Paul.

Mais Julie ne répond pas. Elle regarde le fauteuil magique avec inquiétude.

— Cette surprise-là ne me plaît

pas vraiment, dit-elle. Le fauteuil s'est transformé en sable !

Le fauteuil n'est plus en bois, mais fait de milliers de petits grains de sable clair.

— Tu penses que la magie va encore opérer, Fribolin ? demande Paul en touchant le fauteuil du bout des doigts.

Celui-ci s'effondre immédiatement sous leurs yeux effarés.

— Oh non ! grogne Julie, devant le tas de sable formé par le fauteuil. Comment est-ce qu'on va rentrer à la maison ?

— Pardon, gémit Fribolin. Je ne savais pas que ça pouvait se produire !

— Essayons de le reconstruire, propose Paul.

Ils se mettent tous les trois à genoux et essaient de reformer le fauteuil magique avec du sable. Mais les grains glissent entre leurs doigts.

— Ça ne marche pas, dit Paul en prenant quelques grains entre ses mains. Ce sable a quelque chose de bizarre, remarque-t-il.

Fribolin en ramasse une petite poignée et la met dans sa bouche. Paul et Julie le regardent avec des yeux ronds.

— Mmm ! Ce n'est pas mauvais, annonce Fribolin.

Intriguée, Julie lèche quelques grains de sable sur ses doigts.

— Paul, ce n'est pas du sable ! dit-elle en riant. C'est du sucre !

Paul goûte à son tour.

— Miam !

— Mais qu'est-ce qu'on va faire pour le fauteuil ? demande Julie. Il faut rentrer à la maison avant que maman s'aperçoive que nous sommes partis !

— L'Enchanteur saura réparer le fauteuil, répond Fribolin. Il a un manuel d'instructions pour toutes les choses qu'il a fabriquées. Je vais vous emmener à son château. Le chemin le plus court passe par le tunnel de Malins-Reflets.

— Le tunnel de Malins-Reflets ? répète Paul.

Fribolin hoche la tête.

— Je n'y suis jamais entré, précise-t-il, mais on m'a dit qu'il pouvait s'y passer des choses *très* surprenantes !

4. Reflets farceurs

Fribolin guide Paul et Julie vers une forêt sombre qui borde la plage.

À leur grande surprise, sur le passage des trois amis, les arbres tendent leurs branches pour leur serrer la main.

Enfin, ils s'arrêtent devant une grande ouverture creusée dans la roche pleine de mousse.

— C'est l'entrée du tunnel de Malins-Reflets, dit Fribolin.

Ils s'y glissent l'un après l'autre. Julie n'est pas rassurée dans l'obscurité.

— Oh, il y a de la lumière là-bas ! s'écrie Paul en montrant une lueur étrange.

En se rapprochant, Julie distingue trois silhouettes. Elle sursaute, puis comprend que les parois du tunnel sont en miroir et que ce sont leurs reflets. Avec une petite différence : ces reflets portent des torches !

— Regardez, c'est *nous* ! s'exclame Julie, en désignant la paroi.

— Mais nous, on a les mains vides ! bredouille Paul en se regardant dans le miroir.

— Je vous avais dit que des choses surprenantes pouvaient arriver dans ce tunnel, rappelle malicieusement Fribolin.

Les trois reflets font signe à Paul, Julie et Fribolin.

— Suivez-nous ! appelle celui du lutin. Nous allons vous aider à sortir d'ici.

Paul ne résiste pas à la tentation de coller son visage au miroir pour mieux voir leurs doubles.

Tout à coup, le reflet du garçon sort le bras du miroir et lui donne une pichenette sur le nez.

— Ne reste pas la bouche ouverte comme ça, Paul, il faut avancer ! le taquine l'image.

Fribolin, Julie et leurs deux reflets éclatent de rire en chœur.

— Ça m'apprendra à être curieux ! sourit Paul.

Son double lui lance un clin d'œil et se met en route. Ils suivent tous les trois leurs reflets dans le tunnel. Ceux-ci vont si vite qu'ils doivent courir pour les suivre, ce qui ne leur laisse pas vraiment le temps de parler.

Plusieurs fois, le tunnel se sépare en différentes directions, et Paul et Julie sont bien contents que leurs reflets soient là pour les guider. Sans eux, ils seraient sans doute restés coincés dans le tunnel de Malins-Reflets pendant des heures !

Enfin, les reflets s'arrêtent au bout d'un long chemin.

— Voici la sortie, annonce celui de Julie, en posant délicatement sa torche dans un trou du mur. Bonne chance !

Fribolin, Paul et Julie regardent la sortie du tunnel, déconcertés. Elle est bloquée par d'énormes rochers empilés les uns sur les autres. Ils se retournent pour demander de l'aide à leurs reflets, mais ils sont déjà partis.

— Ils ont dû se tromper d'endroit, gémit Fribolin.

Julie fronce les sourcils.

— Peut-être que c'est le bon endroit quand même, murmure-t-elle. Après tout, on est sur l'Île aux Surprises et les choses ne sont jamais ce qu'elles semblent être !

Elle touche l'un des rochers et sourit quand il s'aplatit sous ses doigts.

— Ça ressemble à un rocher,

mais c'est mou comme un ballon ! rit Julie. Je crois que j'ai une idée…

Elle retire une pince de ses cheveux et pique le rocher, qui éclate en faisant « pop ! »

— On sera sortis d'ici en un rien de temps, dit-elle en tendant deux autres pinces à cheveux à Fribolin et à Paul.

Ils font éclater les rochers jusqu'à ce que l'entrée soit complètement dégagée.

— Bien joué, Julie ! s'exclame Paul en sortant du tunnel.

Fribolin le prend par le bras.

— Attention ! avertit le lutin.

Paul regarde à ses pieds : il se tient au bord d'un gouffre profond. Sa gorge se serre : Fribolin l'a arrêté juste à temps ! De l'autre côté du précipice, il voit un château sur une colline.

— C'est le château de l'Enchanteur, explique Fribolin.

— Comment va-t-on faire pour y arriver ? demande Julie.

Paul aperçoit un pont étroit en bois qu'il désigne du doigt.

— Par là, dit-il en s'avançant dessus.

Julie et Fribolin lui emboîtent le pas. Julie remarque que le petit lutin n'a pas l'air rassuré. Mais elle le comprend. Ils marchent si haut au-dessus de ce ravin ! Et le pont ne semble pas très solide, il se balance dans le vent. Julie a la tête qui tourne.

Ils se trouvent à mi-chemin

quand, soudain, les planches disparaissent sous leurs pieds. Le pont s'est volatilisé !

En poussant un cri, Fribolin, Paul et Julie dégringolent vers le fond du gouffre.

5. De surprise en surprise

Julie serre les paupières en tombant, son cœur bat fort.

Tout à coup, elle se sent ralentir, comme si elle flottait dans l'air.

— On vole ! s'esclaffe Paul.

Julie rouvre les yeux et, à sa grande surprise, elle voit que de

minuscules ailes ont poussé sur
les talons de ses chaussures. Elle
regarde Fribolin et Paul : les leurs
en ont aussi.

Remontant vers le ciel, Fribolin, Julie et Paul s'élancent vers
l'autre bord de la falaise.

— J'ai toujours rêvé de voler !
s'exclame Julie en riant.

Le vent lui siffle aux oreilles.

Quelques instants plus tard, ils
atterrissent tous les trois en dou-
ceur sur l'herbe et les petites ailes
disparaissent.

— Il se passe toujours des choses surprenantes sur l'Île aux Surprises, déclare Fribolin. Mais un pont qui disparaît, c'est peut-être un peu *trop* surprenant !

— Oui, vous avez bien failli vous transformer en confiture de fraise ! dit une voix derrière eux.

Fribolin, Paul et Julie se retournent. Ils découvrent un jeune homme aux cheveux flamboyants et au visage piqueté de taches de rousseur. Il porte une cape vert émeraude et un chapeau pointu.

— Bonjour, Fribolin, dit le jeune homme.

— Tim ! s'exclame Fribolin. Waouh, tu as ton chapeau à toi ! Tu es donc désormais un vrai magicien, à ce que je vois !

— Eh bien, tu es parti long-temps ! répond Tim. Tout le monde se demandait où tu étais.

Fribolin soupire.

— Le fauteuil magique m'a enfermé par accident dans la cabane du jardin de Paul et Julie, explique-t-il. Ils m'ont libéré et m'ont aidé à revenir, mais maintenant le fauteuil n'est plus qu'un tas de sucre ! Il me faut le manuel de l'Enchanteur pour le réparer, et pour renvoyer Paul et Julie chez eux.

— L'Enchanteur est furieux que tu lui aies désobéi. Je parie mon chapeau pointu qu'il ne voudra pas t'aider ! dit Tim, à la grande déception de Paul et de Julie.

Fribolin est tout confus.

— Alors, qu'est-ce qu'on peut faire ?

Tim se gratte le menton.

— Vous pourriez entrer dans le château en cachette et consulter le manuel du fauteuil magique sans que l'Enchanteur vous voie.

Julie sent que Fribolin n'aime pas cette idée.

— Ce n'est pas comme si on allait voler le manuel, dit-elle. On veut simplement y jeter un coup d'œil.

Elle lui pose une main réconfortante sur l'épaule. Chose étrange, pendant un instant, le lutin semble s'effacer, puis réapparaître.

Julie cligne des yeux. Est-ce que son imagination lui joue des tours ?

— Tu as raison, Tim, dit enfin Fribolin. C'est le seul moyen.

— Alors allons-y, dit le magicien. Je vais faire un bout de chemin avec vous.

Ils se mettent tous les quatre en route pour le château. En suivant le sentier, Paul remarque un lac doré qui brille au soleil.

— C'est un lac de miel, explique Fribolin.

Paul se penche, trempe son doigt dans le lac doré et le lèche.

56

— Mmm, c'est le meilleur miel
que j'aie jamais goûté ! s'exclame-
t-il. Et regardez ça !

Paul montre les grands roseaux
étincelants qui poussent sur les

bords du lac. Il en casse un morceau et l'examine. C'est du sucre d'orge ! Il le glisse dans sa poche pour plus tard, au cas où il aurait une petite faim.

— Est-ce que ce sera facile d'entrer dans le château de l'Enchanteur ? demande Julie à Tim, tandis qu'ils arrivent au pied de la colline.

— Non, répond Tim. Il est gardé par un nounours.

— Ça ne doit pas être très difficile de franchir une porte gardée par un nounours ! ricane Paul.

— Ce nounours-là est grand comme les portes du château et

il n'est pas commode, explique Tim. Surtout quand il a faim.

— On pourrait essayer de le distraire… propose Fribolin.

Tim secoue la tête.

— Avec cet ours-là, il n'y a qu'une seule façon de passer… c'est d'être invisible.

Tim prend une petite bourse en cuir dans sa poche.

— Heureusement, j'ai de la poudre d'invisibilité !

Tim leur jette à tous les trois une poignée de poudre verte scintillante. Paul regarde ses pieds, attendant que la magie fasse effet. Comment ça fait, d'être invisible ?

6. Ours en colère !

— Mais je me vois toujours ! s'étonne Paul. Et je vois aussi Fribolin et Julie !

— Vous trois, vous pouvez vous voir, mais vous êtes invisibles pour tous les autres, explique Tim. Par exemple, moi, je ne vous vois pas.

J'entends seulement vos voix. Maintenant, faites vite : la magie ne dure pas très longtemps. Bonne chance !

Fribolin, Paul et Julie commencent à grimper la colline vers le château.

Une fois en haut, ils voient le nounours qui fait les cent pas devant la porte en bois du château. Il ressemble presque à un ours en peluche ordinaire… mais en vraiment très grand.

— Il est mignon ! chuchote Julie. Allez, rentrons.

— Attendons qu'il se soit éloigné de la porte, décide Paul. Il ne nous voit pas, mais il pourrait nous entendre.

Ils regardent l'ours passer une nouvelle fois devant la porte.

— Maintenant ! souffle alors Fribolin.

Ils courent vers la porte du château, mais au même moment l'ours se retourne et les regarde fixement.

— C'est nous qu'il regarde ? demande Julie.

— Bien sûr que non, on est invisibles ! répond Paul sans crainte.

Il tend la main vers la porte du château pour l'ouvrir.

— GRRRRR ! grogne l'ours.

— On n'est pas du tout invisibles ! hurle Julie.

— Qu'est-ce qu'on va faire ? glapit Fribolin, tandis que l'ours les charge.

Paul se souvient du roseau en sucre d'orge dans sa poche. « Les ours adorent le sucre », pense-t-il. Il sort le morceau et le tient au-dessus de sa tête pour attirer l'attention de l'animal.

L'ours s'arrête net. Il se baisse et renifle le sucre d'orge avec intérêt. Puis il tend sa grosse patte et s'en empare.

Paul recule doucement tandis que l'ours sort sa langue en tissu et lèche la sucrerie.

— Allons-y ! murmure-t-il, et ils s'engouffrent tous les trois dans le château.

Une fois entrés, Fribolin se

précipite vers un escalier doré en colimaçon.

— Suivez-moi ! lance-t-il. Nous devons nous dépêcher.

Ils grimpent l'escalier, qui les mène dans l'une des hautes tours du château. Fribolin pousse une lourde porte en bois.

— C'est la pièce qu'on a vue sur les images du fauteuil magique ! s'exclame Julie en regardant les jouets empilés sur les étagères autour d'elle.

Fribolin acquiesce et se dirige vers une bibliothèque.

— C'est là que l'Enchanteur range ses manuels, explique-t-il.

Il faut trouver celui du fauteuil magique !

Paul et Julie le rejoignent pour l'aider.

— Là ! s'écrie enfin Paul.

Il saisit un livre argenté. Sur la couverture, on peut lire : *Manuel du fauteuil magique.*

— Mais que croyez-vous faire là ? gronde tout à coup une voix derrière eux.

7. Chez l'Enchanteur

Paul et Julie se retournent. Un homme à la longue barbe blanche, vêtu d'un manteau bleu, les regarde. Paul se souvient l'avoir vu sur les images du fauteuil magique. Il murmure :

— C'est l'Enchanteur !

— Alors te revoilà ! s'exclame l'Enchanteur en fixant Fribolin d'un œil sévère, tandis que le lutin essaie de cacher le livre derrière lui.

— Oui, Enchanteur, dit-il. Je suis désolé. Je voulais seulement regarder le manuel du fauteuil magique. Je dois le réparer.

L'Enchanteur tend la main et Fribolin, tout penaud, lui rend le livre.

— Pourquoi vous n'êtes pas venus me demander de l'aide au lieu de fouiller en cachette ?

— Excusez-nous de ne pas avoir demandé votre permission, intervient Julie. Mais Tim nous a dit que vous étiez fâché contre Fribolin et que vous ne nous aideriez pas.

— Hmm… grommelle le vieil

homme en se lissant la barbe. Tim n'est pas un magicien de confiance. Il aime faire des farces.

Paul regarde Julie.

— Comme avec la poudre d'invisibilité qui n'a pas marché.

Fribolin a l'air gêné.

— Paul et Julie m'ont libéré du fauteuil magique et m'ont ramené sur l'Île aux Surprises, explique-t-il. Je voulais seulement les aider à rentrer chez eux.

— Tu ferais mieux de tout me raconter depuis le début, dit l'Enchanteur.

Fribolin explique tout ce qui lui est arrivé depuis qu'il s'est retrouvé exilé loin de l'Île aux Surprises.

— Eh bien, tu n'as pas besoin de mon aide pour faire rentrer Paul et Julie chez eux, répond l'Enchanteur en époussetant le manuel de la main. Le fauteuil s'amuse juste à se déguiser. Tout ce que tu as à faire, c'est lui donner trois petits coups et dire : « Montre-toi ! », et il reprendra sa forme normale.

— Vraiment ? s'écrie Paul.

L'Enchanteur hoche la tête.

— Ensuite, faites-le basculer trois fois et dites : « À la maison ! », et le fauteuil vous y emmènera.

L'Enchanteur sourit au petit lutin.

— Le château était bien vide sans toi, Fribolin ! Veux-tu revenir travailler pour moi et m'aider à inventer d'autres jouets merveilleux ?

—J'aimerais bien, Enchanteur, répond-il, le visage illuminé. Je suis tellement content que vous ne soyez plus fâché contre moi !

L'Enchanteur secoue la tête.

— Tout le monde fait des erreurs, affirme-t-il.

Il se tourne ensuite vers Paul et Julie.

—Vous avez tous les deux bien

aidé Fribolin, dit-il. Seules des personnes qui ont très bon cœur pouvaient le libérer. La gentillesse est une forme de magie, vous savez.

Il regarde Paul, puis Julie.

— Pour vous remercier, je voudrais vous offrir le fauteuil magique. Comme ça, vous pourrez vivre de merveilleuses aventures, mais aussi aider ceux qui ne trouvent plus leur chemin.

Paul et Julie ont du mal à en croire leurs oreilles.

— Merci, monsieur l'Enchanteur ! s'écrient-ils en chœur.

— Il suffit de dire le nom de l'endroit où vous voulez aller, et le fauteuil vous y emmènera.

L'Enchanteur leur tend le manuel argenté du fauteuil magique.

— Et s'il se passe quelque chose d'anormal, regardez ceci. Je suis sûr que vous allez vivre des aventures palpitantes !

— J'en suis certain, dit Paul gaiement.

Sa soeur reste muette : elle a les yeux fixés sur Fribolin. Le corps du petit lutin recommence à se brouiller, comme s'il était en train de disparaître.

— Fribolin, qu'est-ce qui t'arrive ? s'exclame Julie.

8. Comme sur un nuage

L'Enchanteur observe attenti-
vement Fribolin.

— Ah, je comprends ce qui se
passe, dit-il. Comme Fribolin est
resté prisonnier dans le fauteuil
longtemps, maintenant ils sont
liés l'un à l'autre. Quand Fribolin

commence à disparaître, ça veut dire que le fauteuil est impatient de partir.

— Est-ce que je vais rester comme ça pour toujours ? demande Fribolin en regardant ses mains s'effacer devant lui.

L'Enchanteur secoue la tête.

— Maintenant que tu es libéré du fauteuil magique, le lien entre vous va disparaître petit à petit, explique-t-il. Mais ça peut prendre du temps.

L'Enchanteur se tourne vers Paul et Julie.

— Ne laissez jamais le fauteuil magique seul trop longtemps, sinon il s'en ira sans vous et vous seriez bien embêtés !

Paul hoche la tête.

— On s'en occupera ! promet Julie.

— À présent, il est temps pour vous de partir.

L'Enchanteur claque des doigts et un gros nuage de coton entre par la fenêtre.

— Montez sur le nuage magique, il vous ramènera au fauteuil.

— Au revoir, Fribolin ! dit Paul en montant sur le nuage tandis que Julie serre le lutin dans ses bras. Merci pour tout !

— Vous allez me manquer, dit tristement Fribolin.

— Toi aussi ! répondent Paul et Julie ensemble.

Ça ne fait pas longtemps qu'ils connaissent Fribolin, mais il est déjà un très bon ami.

Julie s'assoit à côté de son frère sur le nuage. Il est moelleux comme un lit douillet. Ils agitent tous deux la main vers Fribolin et l'Enchanteur tandis que le nuage s'envole par la fenêtre.

Le nuage s'éloigne du château, survole le gouffre, puis la forêt où se trouve l'entrée du tunnel de Malins-Reflets.

— Voilà le fauteuil ! annonce Paul, le doigt pointé vers le gros tas de sucre, tandis que le nuage se dirige vers la plage.

—J'espère que ça va marcher… dit Julie fébrilement en descendant du nuage.

Elle tapote trois fois le tas de sucre et dit :

— Montre-toi !

Un éclair de lumière bleue jaillit, et soudain le fauteuil magique réapparaît. Les enfants poussent un soupir de soulagement, puis grimpent dessus et commencent à se balancer.

— À la maison ! ordonne Paul.

Des étincelles bleues crépitent,
plus grosses cette fois. Paul et
Julie s'agrippent aux accoudoirs
du fauteuil qui les ramène dans
la vieille cabane du jardin.

— Quelle aventure ! s'exclame Paul en sautant du fauteuil sur le sol.

— L'Île aux Surprises était merveilleuse, dit Julie. Mais je suis contente qu'on soit de retour à la maison.

— Oui, tu as raison, acquiesce son frère, même si Fribolin me manque déjà.

— Moi aussi, soupire Julie.

— Ahem ! fait une petite voix dans un coin de la pièce.

Paul et Julie se retournent. Fribolin se tient devant eux !

— Qu'est-ce que tu fais là ? s'exclame Julie, abasourdie, en se précipitant vers lui avec Paul.

— Eh bien, j'étais vraiment triste quand vous êtes partis, explique timidement Fribolin. Alors l'Enchanteur a dit que je pouvais revenir. Il a utilisé une formule magique pour m'envoyer ici.

— Combien de temps peux-tu rester ? demande Paul au lutin.

Aussitôt, le visage de Fribolin s'illumine.

— Aussi longtemps que je le veux !

Paul et Julie se regardent, enchantés.

— On est à nouveau réunis ! s'écrie Julie.

— Et on va vivre beaucoup d'autres aventures fantastiques ! se réjouit Paul. Je me demande où notre fauteuil magique nous emmènera la prochaine fois…

N'attends plus !

Rejoins tous tes héros
sur leur site :

www.bibliotheque-rose.com

En décembre, retrouve Julie, Paul
et Fribolin dans une nouvelle aventure !

Le Fauteuil magique

d'après **Enid Blyton**

La licorne disparue

Qui rêverait de rencontrer un griffon,
un dragon ou une licorne ? Paul et Julie,
bien sûr ! Un petit tour sur le fauteuil magique
et les voilà au pays des créatures enchantées.
Mais une drôle de maladie atteint
tous ses habitants, et Mélina,
la licorne guérisseuse, a disparu…

Table

Imprimé en Roumanie par G.Canale & C. S.A
Dépôt légal : octobre 2012
Achevé d'imprimer : octobre 2012
20.2631.8/01 – ISBN 978-2-01-202631-5
Loi n° 49-956 du 16 juillet 1949
sur les publications destinées à la jeunesse